臼井儀人

Volume 45

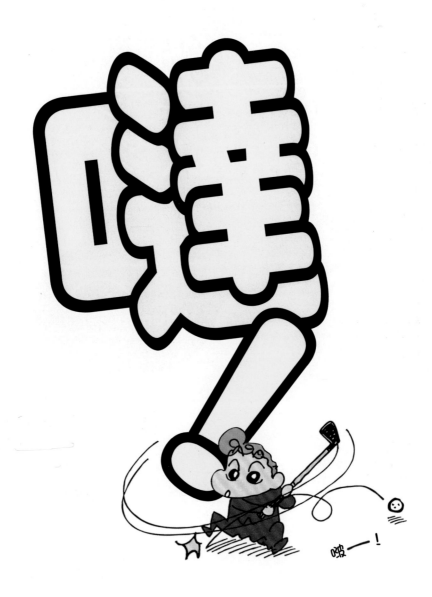

只待一星期的轉學生來了！
他能否跟新之助相處愉快呢？篇

不打不相識

職員室

職員室

動感幼稚園

沒有啦⋯這不是值得誇獎的事情⋯

原來妳在竊聽啊。好厲害哦，不得了！

這非常不容易哦。

我不是在偷窺，是竊聽啦。

妮妮，偷窺是不好的哦。

我們明白了。

那麼，就請多多幫忙。

嘎恰

嘻嘻

5

向日葵班

咦？有轉學生？

是呀，可是他因為爸爸工作的關係，只在我們幼稚園待一星期。

妮妮，妳掌握消息的速度好快呢。

還好啦。嘿嘿！

女人的幸福倒是把握不住呢。

小齊說

你剛才說什麼？啊？

啊！老師。

迅速走開

大家坐下來。

我來介紹新朋友。

他是阿祥。

嘖！

喂！班上的這個頭頭是誰？跟我單挑吧！

阿祥，這個幼稚園沒有什麼頭頭不頭頭的！

議論紛紛

正男是御飯糰界的頭頭哦。

我才沒有那種稱號呢。

嘖！真是個遜班。

這傢伙真不友善…

議論紛紛

休息時間——

聽說你年紀小小卻很囂張呢！

我們要讓你明白人生的嚴苛！

6

喝！

揮拳

踢

咆！

這傢伙好強……

喂，讓開啦！

家庭餐廳

祥哥要經過囉，嘿嘿…

他變成這兒的頭目了。

大搖大擺

耀武揚威

噫……

你們為什麼怕這傢伙？

我們不怕，是他很無厘頭。

祥哥，你別理他啦！

你在說什麼呀！

歡迎光臨，請問幾位？

唔…

啊！新之助！

一把抓住

你瞧不起我！

沒有禁煙區嗎？…不對！我才不要坐下來呢！

坐吸煙區可以嗎？

抓住他領口時，我感受到一股野性…又好像殺氣的力量！這傢伙不簡單！言喻的力量！

嘻皮笑臉

放開

揮拳

站住！

喂！跟我一決勝負！來比比較會打架！

誰強誰弱無所謂，我懶得比…摸了魚，臭臭腥腥…

後來，阿祥每天找新之助挑戰，但都不被理會。

阿祥交到朋友，真是太好了。

等一下！

周遭的人看起來是這樣。

他是猴子嗎…

好快，而且這是頭一次有人躲過我的拳…

動作迅速

不過，要比我喜歡的東西。

好，你要比什麼？

你真煩人，好啦好啦。

唔哇——新之助，謝謝你。

咚！

新之助…！

阿祥來上學的最後一天——

新之助，不跟我比劃的話，我就揍他！

唔哇——

好啦，我去拿就是了！

辦不到就算我贏。

把那個老師的假睫毛拿下來？

噓噓！噓噓！

廁所

怎麼了？

唔哦！

衝過來——

跳起

真羨慕男生可以隨時隨地站著小便。

廁所

唔…

跳過來

爬爬爬

撞牆壁

廁所

躲開

哎呀，今天三人一起和睦玩捉迷藏…

緊追不捨

呼呼呼呼呼呼呼呼

摔下

蹲下

幹嘛？你們做什麼？

跌倒

祥…

阿祥的爸爸…

祥…好久沒看到那孩子笑了。

哈哈哈哈！

哈哈哈哈！

呀哈哈哈！

好！

那，算我倆平手。

？

那孩子的母親也就是我的妻子一年前因病過世。他少了媽媽陪伴，加上我工作常調職，使他交不到朋友，於是他就鬧彆扭，每天打架。

原來是這樣啊！

我再也不跟別人打架了！因為跟你比這一場以後，就算跟別人決勝負，應該也會很無趣！

哦，是嗎？

我是 5 歲
天才兒童……
有什麼疑問嗎？篇

我是5歲天才兒童……
有什麼疑問嗎？篇

創新舞步

這次登場的柳龍之介，是抽獎得到「蠟筆小新誕生15週年元氣大作戰祭'05」的漫畫演出權，住在大阪的幸運少年……

傷腦筋，他們去哪裡了呢？

他們去哪裡了呢？

我跳！我跳！！我跳！！！

轉圈轉圈

停住

我轉！我轉！我不停轉…

唔……

這小孩是幹嘛的？

你迷路了，對吧？

不不，是我爸爸跟媽媽迷路了。

你的心情我明白，可是社會大眾不會這麼想。小孩子獨自一人，就是迷路了。

尋人中心

太好了!這麼一來,這隻迷途小羊就得救了。

那麼,讓他待在這兒。謝謝你,小朋友。

是呀,他是迷路的小孩。

耶。我好像是

咦?迷路的小孩?

那先把你們的名字和住址告訴我好嗎?

原來你也是迷途小羊⋯

對了,我媽媽也迷路了,順便幫我找她好嗎?

這是交換條件。

要是大姊姊肯說出個人資料,我也可以告訴妳。

最近的小孩子真難搞⋯

對呀對呀,這是個人情報保護法案。

我媽媽說「不可以把個人資料隨便告訴陌生人」。

再問下去就**違反保護法案**了!

你們處得好嗎?

有沒有男友?

三圍呢? 什麼罩杯?

好啦,我的名字叫上板橋彌生。

15

哼！迷路的人不准要求那麼多！你們這些迷路小貓們！

城市百貨的尋人中心有提供哦。

你們不提供果汁嗎？

沒有溼毛巾嗎？我想擦脖子。

把脖子擦得溫的。

嚇到

原來還有別的迷路小孩。

事後大概會被上司罵吧！

你們在那邊等。

總算廣播完畢。

哇哈哈哈！

轉轉轉

轉轉轉

嘻！

瞧，旋轉屁屁！

這就是我尋找已久，讓旋轉更華麗的裝飾動作！

唉…尋人的工作人員把迷路小孩弄哭了。

不行呀，這就跟章魚燒老闆欺負章魚魚一樣。

雖然不清楚是怎麼回事。

嗚呀──

呀哈哈哈哈！大家都失控了！

哇哈哈

這情況…到底是怎麼回事…

啪！啪！啪！啪！

是！

來，再用力一點，屁股夾緊！

轉轉

轉轉

轉轉

好…

教我好嗎？

為什麼，老師？

龍之介…你不能穿那套服裝上台。

道頓堀表演廳

龍之介的芭蕾發表會當天──

我是5歲天才兒童……有什麼疑問嗎？篇

扭去 扭來

兒童上課中

先用英語打招呼。
我跟洛貝魯特先做示範。
ABC HIJ

哦哦，洛貝魯特！
嗨，你好嗎？
哦哦！金之助、沒牙！
咦？野原家的人竟然認識外國人？

那麼，你們說說看⋯How are you?
你先幫我教一下哦，洛貝魯特。
※橫寫文字為英語。
嘟嚕嚕嚕嚕
有電話。

Hello. how are you?
I am fine. Thank you, and you?
I am ok.
英語好帥哦。
洛貝魯特竟然會講英語，他真努力呢。

對了！加上動作或許可以放鬆。
How⋯are⋯you⋯
嘻
扭曲

嗯，大家都太緊張了啦。
哈哇哇
啊⋯
哈嗚啊⋯
油？
哇？

抱歉，洛貝魯特，耽誤了點時間。
嘎恰

I am fine！三Q，安啾？
How are you?
扭來 扭去
扭去
扭來
哈哈哈⋯
哈哈哈⋯！
哈哇哈
哈哇！

我是5歲天才兒童……
有什麼疑問嗎？篇

體貼之心

春假，我跟媽媽一起去了澳洲的柏斯──

臭無尾熊航空

轟～～

去找在柏斯出差的爸爸。

等我見到爸爸，要跟他一起踢足球。

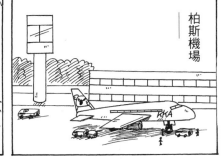

柏斯機場

小徹！

峰子！

老公！

爸爸！

你們好嗎？

好久不見了，老公♥

我非常高興。

我好想你哦。

我們走吧。

可是，身體突然有股莫名寒意。

發抖

？

後來，我們在附近的沙丘玩滑沙板。

爸爸先示範。

嘿！

哇，好快哦。

沙

嘻嘻

哈哈！

扭來扭去

好恐怖哦…

好高哦…

不要啦！

妳裝柔弱的樣子才恐怖。

哦哇！

耶！

沙！

呀呵！

滾滾 滾滾

哈哈！誰叫你要用那種奇怪的坐法！

我再也不要滑沙了。

噗啾

滾滾

跌落

跌倒

唔哇！

小徹的嘴唇軟軟的。

你很噁心耶。

你還好嗎？

我們還去名為Monkey mia的美麗海灘，那兒有野生的海豚。

游到來

哈哈哈！

牠一定很喜歡小孩子。

戳戳

哦哦，Jesus！

吵雜

？

24

浪聲沙沙

爸爸那個笨蛋…難得見面，我想跟他踢足球的說…

從背後嚇他好了。

浪聲沙沙

小徹，我們來踢足球吧！

叔叔，我們一起踢足球吧。

好，來踢吧！

我小個便再去，你請先跟小徹玩。

哦，我也請他們讓我加入。

好

哈哈哈…

啵！

嗯！

跟爸爸踢足球，是這次旅行中最美好的記憶。

爸爸不用去啦！

為什麼？

別問！我們到那邊去玩！

26

我是5歲天才兒童……有什麼疑問嗎?篇

真的有歹徒耶!

防身法則

動感幼稚園

最近發生多起兒童遭殺害的案件。

因此,為了保護孩子們不受犯罪侵害,今天想和各位家長以及幼稚園小朋友一起學習防身之道。

我們從城市警察署請來兩位刑警擔任特別講師。

大家好!

嘿!

是真的刑警耶!

啪啪啪!

野原太太妳好。

小新,原來你唸這家幼稚園啊。

好久不見了。

嗨!

我是刑警污田,這位長相滑稽的大叔是苦汁屋刑警。

少說廢話,快進入正題。

說悄悄話,最好再小聲一點哦。

噓——

他的手臂骨折痊癒,五官卻沒痊癒呢!好可憐喔。

小聲說

27

不許一口答應他！

不過，你堅持的話，我可以收下！

語氣直接

好棒啊！新之助，直接拒絕他。

不可以跟著陌生人走，所以我不去！

斷然拒絕

我買糖果給你，過來。

我載你去醫院，上車。

妳媽媽出車禍了，

咦？

不用了！為了確認，我打電話回家看看。

好聰明哦，小徹。

妳媽媽出車禍了，我載你去醫院，上車。

那麼，要是歹徒像接下來這樣說，你們要怎麼做呢？

接下來，當歹徒動手擄人，我們應該怎麼做呢？

對方的車子沒事嗎？

你什麼意思！

哈哈哈…

給我過來！

給我過來！

愈來愈入戲。

噯噯──

救命啊！

大聲呼救，不錯。

29

抓住

給我
過來！

啵！

可以當場趴下，或是攀住別的東西，也是一個方法。

趴下

後來，我們先去看看可能會發生犯罪的場所。

小葵由廣志照顧著。

金蟬脫殼

這招只有他會。

跑走

哦哦！

喂，小子，過來！

抓住

哇！

你想像看看，要是壞人出現在這兒，會怎麼樣？

我的左邊乳頭比較敏感

這種無人進出的路很危險呢。

為什麼？

撕下

難道
妳是…

!!

後來——

那我來小小試探他。

我大致上有教過新之介，可是擔心他是否真的明白了。

才沒有那種事呢！

對不起，我一直很喜歡你但不敢開口，才會這麼做。

妳好壞哦。

戳

真的歹徒出現了…

真的有歹徒耶！

小朋友，我買糖果給你吃，過來。

「GO！」女主角很可愛哦。

很好看。

我想見識，落敗狗在遠方吠的情景……

這兒是站前派出所

看到他就打110

啊！新之助有難了！

呃…這時要說什麼呢？

我…我家一直都訂朝日新聞。

笨蛋！那是拒絕訂報推銷的方法。

什麼？可疑男子？

你們立了大功哦。

束手就擒吧！

不是！是我啦！

唔…是我啦…

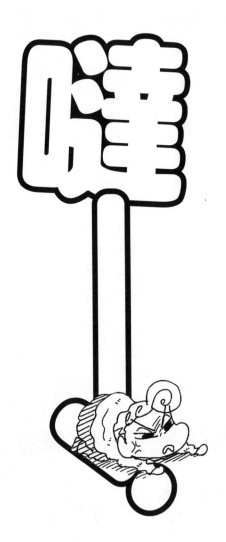

松坂老師＆德郎先生
戀愛的發展
有起有落！篇

松坂老師&德郎先生
戀愛的發展有起有落！篇
男人是木頭
成田機場——
謝謝你這次的支援，要是還有挖掘調查，我會跟你聯絡的。
我才是做得很愉快呢，教授。
保重哦，阿德。
行田德郎是接骨師，但是參加恐龍的化石挖掘隊，長期待在國外。
你女友來接機吧？
我有寫信通知她，但不知她會不會來，因為我長期冷落了她…
在那裡…
真是位特別的小姐呢。哈哈…
在哪裡？
歡迎你回來 德郎♥ Welcome 熱烈歡迎 歡迎光臨
梅！
她是怎麼搞的？
她是傻子吧？
德郎！
我向園長借車子。
不好意思，勞煩妳特地來接機。哈哈哈…
噗—
動感幼稚園
這次你能停留國內多久？
保根田教授的挖掘調查已經告一段落，我也打算回去當接骨院的醫師。

不過這話說回來，天氣真好呢。

不是那樣…

這家伙太遲鈍了…

好啊。

可以的話，要不要兩手交叉呢？

交叉

捏捏扭扭

嗯？什麼？

德郎先生…

幾天後——

肚子痛痛公園

哦—那個小姐的骨盤不錯。

沙

真的嗎？很好啊。

對了，我打電話給七零八落接骨院院長，他答應讓我再去那邊工作。

奧克拉荷馬炸雞

哼！

抱歉、抱歉，我看到骨架好的人就會注意。

啊…對了！肚子餓了沒？我們去吃點東西好不好？

啊！這副嚴肅的表情，原來他也有在考慮。

……

……

德郎先生…

關於我們今後…

好好吃！

太好了，她不生氣了。

滿面笑容

37

德郎你這笨蛋！你一輩子都去追骨頭吧！

磅！

妳看這骨頭，顏色和光澤真讚！

開得很慢的自動門。

撞個正著

啊……

嗚嗚……

梅小姐……

紛紛議論

嘰！

任何人都有食物吃不完的時候呀。

不嫌棄的話，我幫你吃，你別客氣。

你是指炸雞啊？

不需要覺得丟臉呀。

被你看到丟臉的一面了。

德郎先生。

小新……

我討厭骨頭

啊……牙齒斷了……

小新，梅小姐，還有骨頭，兩者我都很喜歡。

啊，是嗎？

大口大口

嘎哩

38

松坂老師&德郎先生 戀愛的發展有起有落！篇

男人的夢想

松坂梅與男友德郎重逢，但目前正在吵架。

你知道貓廣志（日本搞笑藝人）嗎？

動感幼稚園

火山爆發

妳說什麼！喝了人家的果汁還嘿嘿什麼嘿嘿！我要你加倍奉還！

職員室——

松坂老師，對不起，我又不小心把妳的果汁喝掉了。嘿嘿！

看招！

踢

哇！

上次她跟男友重逢，心情明明很好的…

看來，他們是吵架了。

有點嚇到尿出來了…

抱歉，老師。

嘻皮笑臉

慘了啦…

啵！

不要緊，現在松坂老師不管被怎麼對待，都不會動怒的。

必須設法解決才行！

對呀！

用力丟

砰砰砰砰…

嗯嗯嗯…

七零八落接骨院

辛苦你啦，阿德。

院長，我先告辭了。

必須減少雙葉社的竹內小久的飲酒量。

要讓松坂老師和德郎先生和好啦！

為了替幼稚園再度找回和平。

小久是誰啊？

原來是那件事…這是大人的問題，跟你們小孩子無關。

求求你。

請你跟松坂老師和好。

嘿，小新還有其他朋友。

不得了！

咦？動了？會動的骨頭！

移動

失陪了。

他不理我們。

交給我。

啊！原來是你們在惡作劇。
我說過一定會露出馬腳的嘛，不可能就這樣把他引到松坂老師那邊啦。
不過啊…
這是大人的問題！
他嘴上這麼說，可是…
會動的骨頭！不得了！
這句話就很幼稚。
你很囉嗦耶。
噗！
說來丟臉，其實我們吵架也是為了骨頭…如此這般…
原來如此，也難怪松坂老師會生氣。
你是怎麼變得那麼熱愛骨頭呢？
我唸小學的時候，有一天從樹上摔下，因為肩膀脫臼痛到哭了。
有個大學生經過幫我急救。
我是柔道社的，處理脫臼是家常便飯。
「急救」就是用皮鞭和蠟燭的那個嗎？
興奮期待
並不會用那個東西！
後來，他邊送我邊講恐龍的有趣事情。
○○是××龍……
這樣啊，真不得了。
這疑似是豬鼻龍恥骨的一部份，現在還沒有人找到證明豬鼻龍實際存在的證據。所以總有一天，我要找到豬鼻龍的化石！這是我的夢想！

不嫌棄的話，這個送你。

真的嗎？

後來，少年把那個化石拿去「開運鑑定團」，大賺一筆…

東西現在還在我手上啦。

這就是恐龍的化石嗎？

真不得了。

熱烈討論

我被那位大學生的精神感動，不知不覺走上一樣的道路，遍讀恐龍和骨頭的相關書籍，跟他進研究同一門學問，同一所大學。

你跟那個大學生後來怎麼樣了？

他現在擔任大學教授，也是恐龍化石挖掘隊的隊長，我也有加入。

保根田教授…

那是栗子啦。（浪漫與栗子日語發音相近。）

「找到豬鼻龍的化石」是我們挖掘隊的夢想呢！

這是男人的浪漫夢想呢。

那豬鼻龍和濃妝龍，你選哪一個？

咦？濃妝龍是什麼？

？

就是松坂老師啦。

啊，有像、有像。

誰是濃妝龍！嘎哦！

衝出來

吃驚

被蚊子叮。

唔哇！

松坂老師&德郎先生
戀愛的發展有起有落!篇

松坂梅與行田德郎是一對情人,正在吵架。

動感幼稚園

要不要一起扮烤乳豬?

那有什麼好玩的?

前幾天恰巧知道德郎先生喜歡骨頭的理由,

骨頭對他來說就是人生,也是夢想,我必須明白這個道理。

好,打電話給他,為我在約會時因細故而生氣的事情道歉!

駝背公寓

………

愛你入骨

BONE

唉呀…難得的假日,卻連看書都無法專心。

因為我跟梅小姐的事情沒解決的關係嗎?

唉,女人心真難懂,好麻煩哦!

弄亂弄亂

BONE

想東想西也於事無補,打她的手機再談一談。

BONE

斷嘟斷嘟

嘟嚕嚕嚕…

BONE

電話中…

嘟嘟嘟

喂，德郎！現在能見個面嗎？我有個消息！

保根田教授…

老師，打起精神來。

你害我心情變差了。

步伐蹣跚

要不要扮烤乳豬？

什麼意思啊？

不要！至少要是「週刊大眾」啦！

別看他長相平凡，搞不好是週刊花花公子。

搞不好德郎先生正在跟別的女生講話。

不、不會吧？

沉溺於情愁的松坂老師…

好有女人味，好可愛♡

心動

松坂老師這陣子無精打采的呢。

妳還好嗎？

迅速跑來

站不穩

啊

她為什麼突然有異性緣了？

鴉雀無聲～

靜靜行走

德郎，這邊、這邊。

德大哥，好久不見。

那時候德郎常常來我家聊恐龍，喝到天亮呢！

小時候，我常常找你一起玩呢。

我好驚訝，妳變得好成熟哦。

我好高興！8年不見，你還記得我。

我女兒現在是大學生。我說要跟你見面，她就跟來了。

織惠？

真的嗎？

要告訴你的消息是：非洲大陸南波波薩魯馬達國，有人發現疑似豬鼻龍的部份化石哦。

你不覺得那女服務生骨盤很不錯嗎？

八成可以生很多小孩呢！

你們兩個很不正經耶。

請給我綜合咖啡。

一份是吧。

綜合咖啡。

掘！

妳呀…

重要的是，如果那是豬鼻龍，我一定要參加挖

那我要候補當德大哥的新女友！

我正在調查這是否屬實，如果是真的，就要儘快出發去那裡。你也會一起去那裡嗎？

你女友的事要緊嗎？

是這樣的，我跟她處得不太好，一見面就吵架…

集滿3張金牙寄去，就能得到「鱷魚阿山睡袋」。

今天是誰在幼稚園把巧克比外盒鱷魚的金牙弄丟，而擔心不已啊？是誰幫你找到的呀？

為什麼非得陪妳購物？

哎呀，你那樣說沒關係嗎？

不悅

妳自己去就好啦。

再見。

妳要早點回家哦。德郎再見。

我必須回去大學。

掰掰，爸爸。

你欠我人情，所以我今天要當我的保鏢！

唔…

這陣子用玩具玩不過癮，一定要用實物才行。

用玩具就好啦。

我要去丸腰百貨的家庭用品賣場，看真實家家酒的道具。

德大哥有空嗎？陪我買東西。

嗯…好啊，反正回去也沒事做。

是妳引發的吧？

看來，八成會掀起一番風波。

卡嚓

啊！

♪

松坂老師&德郎先生 戀愛的發展有起有落！篇

高潮迭起

動感幼稚園

各位！大新聞、大獨家哦！

松坂梅與德郎在談戀愛，但是吵架了。就在此時，德郎被保根田教授的女兒找去購物，妮妮與新之助看到了這一幕。

你們看這個！

好誇張的臉…

鼻孔好大。

妳給我們看這個不要緊嗎？

咦？德郎先生跟我沒看過的女性…這是偷腥嗎？

是這張啦！

糟糕，弄錯了。這是媽媽打呵欠時拍下來的。

新之助，你當時也在現場嗎？

我被妮妮抓住把柄，被迫跟她去購物。

我明白，她總是用那一招。

我想把這件事情通知松坂老師。

慢著！突然讓老師看這個，她會受到打擊的。

你們在竊竊私語什麼！

嗯嗯。

跌倒

水晶球是用來做什麼的!

這是轉盤子占卜。

轉轉轉轉轉轉

吞口水…

嗯。

小豹,把那個拿來。

慢著!妮妮,由我去…

抓住

我不是要問這個啦!妳這個騙人算命師!算了,我要拿這相片去問德郎先生生理由!

啊…這場戀愛可能演變成悲傷的結果。

咦咦?

破掉

到底什麼事情吵吵鬧鬧的?

那是頭槌吧!

轉轉轉

撞

放開我!

甩開

誰把手機接住!

好!

松坂老師…

真的飛出來了,不得了!

飛出來

假睫毛
↓

接住

各式各樣的事情……
小新家族短篇集！

『年輕的廣志和美冴就是這樣
買了房子哦　立志篇』

新之助還是
嬰兒的時候

破爛莊

長毛象！
長毛象！

晃來

晃去

你…的鼻子
晃來晃去…

不要跳
那麼低級的
舞給新之助
看啦！

呀呀！

GUNMA

要表演給
他看，就
要跳芭蕾
那種優美
的舞！

讓開！

GUNMA

天鵝冰湖
雖然…但是
可以
喝水。

轉來轉去

為什麼要
吐？

嘔噁…

52

是鼻子哦！鼻子，說說看！

比...

唔...

啊，他快說話了！

唔...

唔...

是你教的對吧！他出生說的第一個字是「雞雞」，真是太悲哀了！

不是我啦，是電視的影響吧？

用力勒緊

GU

雞雞！

嗯，真不想負擔房貸。

我們有足以付頭期款的存款⋯⋯再來就用貸款⋯⋯

喝大概啤酒也會被縮減⋯⋯

這兒的空間好像不夠大，要不要考慮買獨門別院？

咦？房子啊？

可是憑我的薪水⋯⋯

好！在有院子的房子，把孩子養大吧。

就這樣，年輕夫妻決定買一棟獨門別院的房子。

瞧，這是他最近學會的遊戲。看到「飛一飛撞到紙門的蒼蠅」。

爬爬爬

咚

倒下

爬起

他偶爾會再三重覆。

真是悲哀的遊戲。

各式各樣的事情……
小新家族短篇集！

『年輕的廣志和美冴就是這樣
買了房子哦 風雲篇』

新之助還是嬰兒的時候，原本租房子住的廣志和美冴，決定買獨門別院的房子。

偽裝房屋
樣品屋

哇！好氣派的建築呢！我們實在買不起。

還是看一下吧。

ろ乀，ろ乀ろ乀…

咦？在這個時候肚子餓啦？

歡迎光臨。

豐滿
豐滿

ろ乀！ろ乀！ろ乀！

你的目的根本不對吧！

我可以體會你的心情，新之助。

哇！好漂亮的玄關哦。

希望我們的房子有這麼大。

來，請到裡面參觀。

這房子的材質耐火嗎？

材質非常耐火，只是相當貴哦。

哼！他們並不想買房子，不需要認真招呼他們，反正他們看起來也沒錢。

偽裝房屋社員
見下志照雄

歡迎光臨。

啊，你好。

歡迎光臨。

他們看起來很有錢！

馬上變個樣

什麼嘛，態度變得那麼快。

抓抓

憑您的年收入，或許買不起。

他瞧不起我們。

不爽

笑

我挖

我挖

我黏

黏

妳突然這麼說，我也⋯

快！

老公，快找找可以黏的東西！

啊——！

壁紙撕下

扯扯

本公司的技術仔細完美，完全沒有偷工減料。請看！

好！

快閃！

拍

拍

55

哪裡完美了？根本是偷工減料嘛！

我們到別家去吧。

不…我馬上修好。

急急忙忙

我黏 我黏

我挖 我挖

掉落

咦？怎麼可能…

新之助可能感受到某種神明的指示吧…

哦！哦！

新之助對這家房屋仲介有反應。

土地・建築物・公寓

齒比不動產

哦！哦！

遲遲找不到好的物件呢。

看了各種各樣的房子…

回去吧。

老闆把海報送他。

陶醉

沒有嗎…？

以那樣的預算可買到的物件嗎？唔…

他只是對那張海報有反應嘛。

哦─

請問…

歡迎光臨。

興趣玩相機。→

對了，那兒還有一間沒賣掉。

表情正經

卡嚓

各式各樣的事情……
小新家族短篇集！

『廣志的鬍子』

早上——

今天也要去上班。

先刮鬍子好了。

沙沙

好痛！

怎麼了？

手指被自己的鬍子刺破了。

小心一點啦，你的鬍子就像兇器。

有沒有OK繃？

急救箱

嘖！刀刃也壞了。

哦——哩…嘎…

沒時間了！必須迅速更換刀刃！

分解！

裝填新刀刃！

拿起

啪卡

更換完畢！

哦哦！這是爸爸一天中最帥的瞬間！

嘎叮！

土司烤好了哦。

59

蠟筆小新

4格漫畫的

熱呼呼。

買了鯛魚燒呢。

凝視良久

哇!一肚子紅豆餡,好飽滿!

為什麼?

看到鯛魚燒,就想到我媽媽。

怎麼了?

唔…便秘第三天…可惡……

一肚子屎,鼓鼓脹脹的。

啪答

廁所

廣志下班回家——

是新之助他們，他們在聊什麼呢？

來娜娜子家裡玩的新之助

我去拿果汁跟零食來哦——

妳別費心招待了。

拘謹

你們尊敬的人是誰？

哦哦！娜娜子！而且有娜娜子的毛髮……

娜娜子的梳子！

我爸爸！

為什麼？

原來新之助那麼尊敬我……

感動

聞一聞，嗯……茉莉花香。

啾嚕嚕

吃進去

他超會塞痔瘡藥的，我好尊敬他哦！

迅速離開

就是外形像子彈的東西吧？

他三兩下就塞進去了哦。

哎呀，真是的，爸爸忘了把梳子帶走。

……

各式各樣的事情……
小新家族短篇集！

『我跟乖孩子一起玩哦』

春日川，河堤——

加入KATUN，受女生崇拜。

啪！啪！啪！啪！啪！

大家好！

我們叫做「乖孩子」！我們要努力打拼！

哦，逗這個小孩笑。

我希望今後上電視，大紅大紫！

哦，你想大紅大紫嗎？

像放了三個月的番茄那麼大紅大紫嗎？

我不是指顏色，放三個月的番茄早就爛掉了！

他的反應如何？

瞄

63

我才沒有長小鬍子！我下半身的鬍子才茂盛呢！

不許說我長小鬍子！你這個小鬍子！

不許說我弱！

不要怪題材，是你的吐槽太弱！

你看，這個題材不好啦！

不許隨地大便啦！

唔——

下星期有夕日電視台的強檔節目「搞笑驟死制」的甄選會，我們正在練習呀！

我們是搞笑藝人呀！

真有趣，你們兩個怎麼不去當搞笑藝人呢。

哈哈哈…

哪一個才是你的意見啊？

你剛才明明說「怎麼不去當搞笑藝人」呀！

勸你們找個正常的工作。

我們從學生時代起就是搭檔。

是呀。

咦？你們在表演搞笑嗎？

好。

你講得頭頭是道，搞幾個笑來聽聽呀！

搞笑是有腳本的。

那是指棒球啦！

而且有句話說，搞笑是「沒有腳本的戲劇」。

不過，搞笑界並不好混哦。

順帶一提，我爸爸說「陪酒俱樂部的小姐並不單純哦」。

真好…真好…當人類真好…

脖子落枕了。

在夢中，我跟女朋友玩「黑白猜」早上醒來發現——

不妙，愈來愈有點好笑。
…………
真好…真好…當人類真好…

結果零用錢花光，頭髮因為精神壓力掉得更多。

我爸爸買了很貴的生髮水——

看見什麼？在哪裡？
我開始看見方向了！
好！我們也放鬆吧！

我們的搞笑太刻意而死板、嚴肅。
輕鬆風趣，不錯呢。

我們是救難隊，救人是我們的工作。
哈哈哈！「乖孩子」真有趣。
我看不懂時下年輕人的搞笑。
幾天後——

雖然不清楚是怎麼回事，不過託我的福，一對懷慘的青年似乎得救了。
謝啦，小朋友！
我們回家想想題材吧！
我真厲害。
喀嚓

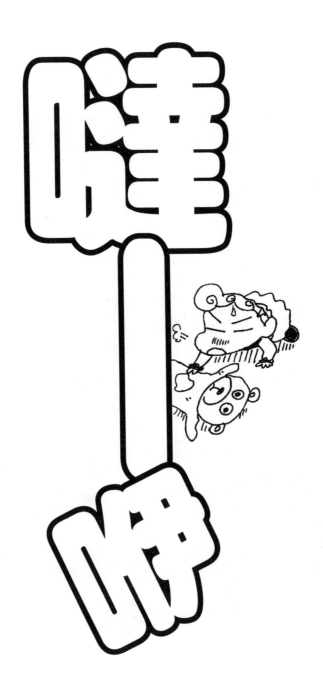

即使吵架，最後總是會和好～
真羨慕小新家庭篇

偶像漫畫家

漫畫家
儀井臼人的家

儀井

是的！
請老師務必畫
一篇三十頁的
短篇故事！

咦？希望我
畫新作品？

雙葉出版 竹內（小久）

是這樣的，本公司以
家庭主婦為對象所出
版的漫畫雜誌「焦耳
一」，開始了「別具品
味的男性人氣作家系
列」企劃，要邀請您
做第一位作家！

我是人氣作家
？才沒有呢。
哈哈哈…

有點在意
「別具品
味」。

主編田端
也希望您
答應。

這是孝敬您
的燒酒果凍
巧克力。

我還是新人
的時候，受
到田端先生
的照顧…

可是，我目前在趕
「少年忍者吹雪丸」
的連載，實在沒有時
間畫新作品，所以很
抱歉…

松田聖子的
「紅色香豌豆」
前奏——

站起

嚙嚙！嚙嚙！
嚙咚！嚙咚～

我要在這兒一
直唱紅色香豌
豆，直到老師
願意畫為止！

搭上春色的
火車…帶我
去喝酒…

求妳別唱
了！而且
歌詞也不
對…

家庭餐廳
以鈍器攻擊後腦

今天就在這兒想題材！不管遇到什麼低潮，只要來這兒，都能順利想出題材。

幾星期後——

當初勉為其難地答應畫新作品，還沒畫……但什麼都下星期要交稿，不畫的話，她又會來唱歌給我聽……

好吵……

還要加什錦煎餅啦，貝羅妮卡。

馬克，今晚吃章魚燒好嗎？

你槌球的技術進步了呢。

討厭，增尾太太，妳又郵購了一堆東西嗎？

嘿咻 嘿咻

吵吵 雜雜

熱熱 鬧鬧

大聲 討論

米口口口 快亂亂亂 抱！

咚 叮

♪

這兒平日客人少比較安靜，最適合想題材……

那是我最喜歡的座位。

裡面角落有空位。

是啊，我一個人。

一位嗎？

我一位。

歡迎光臨。

算了，這兒有那位可愛的店員，聽她那如金絲雀般的嗓音說……

歡迎光臨。

我就會有精神。

可是目前的空位……

那麻煩你找個離那裡比較遠的座位。

偷偷摸摸

很不巧，那個座位已經有人坐了。

唔……那個小子是……

要點什麼呢？

69

只有這裡，可以嗎？

哎呀，在他隔壁…

沒辦法…

『俄式漢堡排，燙青菜淋上假的塔塔醬』和…一份可以嗎？

可以指名他嗎？

非得經過他們旁邊，才能拿飲料。

飲料吧

熱咖啡。

今天起，飲料是自助無限暢飲。

我要專心想題材，別讓那小子吵我。

咕嚕嚕

面嗎？

呢？

是貞·甲仙主演的韓片吧？很好看

小新，你有看昨天的動感假

真男的媽媽，妳有看『5月的混搭服』嗎？

怪人慕吶哥魯蝶好厲害哦。

你是『義式一口牛排套餐，洋芋沙拉不加哇沙米醬』吧！

我！

點『西式鹹鮭魚子蓋飯，酪梨和墨西哥捲餅焦糖醬汁』。

吵死了。

不耐煩

唔…畫給家庭主婦看的內容…

小葵，不可以玩胡椒啦！

偶要開動了，安惠美。

撒撒

哈啾！

卡！

咚！

噎！

正男，你一向喜歡怪怪的東西呢。

他什麼意思！

不悅

老實說，我好失望呢。

從作品來看，本以為他是年輕人呢。

鬍子看起來也好假。

一點都不爽朗呢。

哦！他會聽到的。

我全都聽到了。

嘘——

氣得發抖

小聲

Aflac鴨。

噗～～

寫寫寫

氣死我了，我要用他們當創作原型！

老師，請在這張紙巾上簽名。

幾星期後——

咦？那篇作品反應非常好？

儀井

在讀者問卷中遙遙領先成為第一名。謝謝您！

明明是自暴自棄之下隨便畫的…

爆發主婦美汗汗

減肥就好啦

儀井白人

老師，希望您務必連載這個作品。

不行，千萬不行啦！

我要唱到您答應為止。

穿著有煙味的襯衫，帶我去喝酒…

求妳別唱了！歌詞不是這樣的！

即使吵架，最後總是會和好～
眞羨慕小新家庭篇

即使吵架，最後總是會和好～
眞羨慕小新家庭篇

游泳看美眉

我們幼稚園有游泳大會。

好！今天就為比賽做特訓！

不完全只有女生。

今天要去新蓋好的溫水泳池玩。

那兒有各式各樣的設備，可以闔家同樂呢。

為什麼你們的語氣都像在說明劇情？

噗

大人兩張…

幼兒以下免費，花費更省了。

嘎鏘

自動販賣機

大人 兒童

這邊只要脫鞋子就好啦。

哼！父子倆一個樣。

笨蛋，這裡不是那種店啦！

我還要跟妳一起進酒店！

你在哪裡學會那種字啊，真是…

歡迎光臨。

大人兩個、幼兒兩個。

大人兩個、幼兒兩個。

櫃台

73

女子更衣室

好久不見了，健介。

你還是在吃，生蠔嗎？

前進

啊！健介，你不是健介嗎？

男子更衣室

喂！健介才不會在女子更衣室吧！

你沒有一個叫健介的朋友吧！

什麼？

爸爸。

下去游泳池前，要先沖水。

好。

穿起

這問題就像是「國內的政治幾時會改善」一樣，意思就是「永遠不可能」…

爸爸，我幾歲才可以進去女子更衣室。

笑

正常一點沖水啦！

沖水

啊啊，好刺激。

目前為止，你說過幾次「妳先去沖澡啦」？

我不懂你的意思…哈哈哈哈…

鴉雀無聲

那，我們在這邊特訓。

我讓小葵去幼兒泳池玩水。

是！班長！

不是在說我的屁股啦！

哦！相當大呢。

而且下垂哦。

哦——好讚,好想被她罵哦!

嗯嗯。

對呀,真想聽她說「你真不應該」。

喂,你看看那邊的監視員。

哪一個?

竊竊私語

哪個?

爸爸看那個人,也看。

咦?有更刺激的東西嗎?

那,也看看後面。

眼睛不知看哪兒才好呢!

啊——快噴鼻血了!

雀躍不已

那個叫掙扎求生,我說的是自由式。

爸爸,你的人生中也有過很多次吧?

你別只游狗爬式,該練習自由式了。

我現在示範一次,看著哦。

以另一種意義來說,真的很刺激…

來特訓吧。

瞪

啪恰啪恰

先從打水開始，你試試看。

好

看我游啦！

啊…對哦。

喳啪

喳啪

學會了手的動作，應該就能前進。

你在水裡看我示範。

好

怎麼打水，才能往後退呢？

我教你吧？

不了。

啪恰啪恰

算了，我自己游！

喳啪

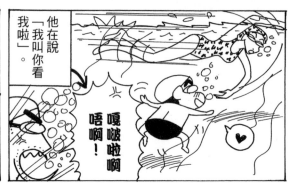

他在說「我叫你看我啦」。

嘎啵啦啊唔啊

我輸了，國中時代有「鮪魚小廣」稱號的我，輸給幼兒的狗爬式…

爸爸，我們再游嘛。

沮喪

?

比賽！比賽！耶耶耶！

震驚

啪恰 啪恰 啪恰

即使吵架，最後總是會和好～
真羨慕小新家庭篇
媽媽追星去
張冬健是目前韓國最受歡迎的電影演員。
代表作「背叛」、「大長金」、「我的野蠻女友的女友」。
在日本也擄獲眾多女性的心，拍了很多電視廣告。
偶喜歡魚！
漁業公會的廣告
你知道中欣保全嗎？
保全公司廣告
哎喲，哈囉的喲，妳好的嗎的啦？
手機吊飾的廣告
就在張冬健首度來日的早上——
咦——？
你今天不是放假嗎？
本來是啊，可是臨時有工作。
本想把小孩交給他照顧，我要去成田機場看張冬健的說…
失望
啊…
美冴，妳那麼想跟我共度假日嗎？抱歉。
不捨♡
美冴！
嗯——♥
幹嘛？快去上班啦。
我出門了。
一路順風。

好棒哦!

我們做了海報帶來。

까아주세요♥

這上面寫著「一張天王我愛你」。

妳被媽媽硬帶來了呢,好可憐。

真是無妄之災呀。

野原太太,這邊!

矢釜太太,好久沒看到妳們了。

哦哦,是韓國旅行時同團的三姑六婆們。

呀呀!

成群跑來

呀!

咚!☆

張天王的粉絲已經開始集結了。

那邊應該看得比較清楚。

吵雜 吵雜

張天王 LOVE

妨礙張天王的人滾出去!

滾出去!

滾出去!

妳們才要滾出去!

對!滾出去!

你也常擾亂秩序啊。

我生平最討厭擾亂秩序!

秩序是什麼?

生氣

這樣很危險欸!

我們是張天王的親衛隊!

我們要維持粉絲們的秩序,保護張天王!

張天王的粉絲們的秩序吧!

妳們是在擾亂秩序!

哪裡、哪裡?

咦——

停住

啊——是張冬健!

住口!妳這個石鍋拌飯臉!

妳什麼意思?

就是「亂成一團」的意思!

竟敢罵我,妳這個韓式火鍋體型!

吵吵鬧鬧

哇

79

即使吵架，最後總是會和好～
真羨慕小新家庭篇

輸贏不重要

動感幼稚園向日葵班——

下週要舉行游泳大會，現在要決定參賽選手。

老師，不會游泳的人不能參加，這樣太可憐了。

所以我覺得，應該想一個大家都能參加的項目。

這意見非常棒，風間。

可是他的雞雞並不棒哦。

你很煩耶！

不可以說雞雞！你們真是的，動不動就說雞雞、屁眼東京那、子孫袋、種字眼！

老師…

咳！

這次大會有水中賽跑和搶帽子等不需要游泳的項目，所以所有人都能參加。

沒有水中麵包比賽嗎？

麵包會在水中會軟掉吧。

雞雞本來就是軟的，不過有時會一樣…

雞雞的事情根本不重要！

大家討論後，決定游泳接力賽由風間、新之助、妮妮和小愛四人參加，可是…

可是妳會游泳吧？

我不想參加。

妳不是有上名教練的游泳課嗎？去參加啦。

班上沒有其他人會游25公尺拜託妳啦，小愛。

妳參加的話，就可以看到吉永老師的生產舞。

滋滋

安產！嬰兒迅速落下！好開心！

可是生完身材會走樣，皺巴巴的。

咚咚喀

…你幹嘛叫我跳舞！

大小姐…

噗

今天要學法語、日本舞和游泳。

我不要游泳！

不行呀，小姐。

黑磯，想不想要沖繩產的螺貝？

沖繩產…好聽的音色…

噗哦呵～

動搖

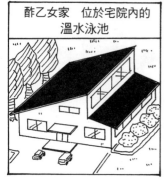

酢乙女家 位於宅院內的溫水泳池

讓您蹺課，我會被夫人責備的。

收買我也沒用。

被夫人教訓得相當慘。

啊！

手指的第一關節要彎成35度划水！

NO！不對！

前奧運美國游泳代表，目前是小愛的專屬教練，易安·斯普。

沙啪！

游啪！

沒辦法，騙小愛仍舊拒絕參賽。

游泳大會當天，小愛風間游兩次好了。

我就站在這邊耶。

既然這樣，三人中必須有一個人游兩次。

我不練了！游泳一點都不好玩！

小姐…

不對！跑步的時候，膝蓋要更…

游泳接力賽

哇哇

被忽視的感覺也超讚的！

聽我講話啦！

大便的話，我一天可以兩次。

誰要游兩次？

我也不行。

我沒辦法。

自我炫耀感覺超讚的！

向日葵班的！優勝一定是玫瑰班！因為我們有今年縣內游泳比賽，幼兒組優勝得主南島航助！

是小南…錯呢？那一部不充的漫畫嗎妳是說安達

小新，Touch！

我先走囉，新之助！

不是啦，快點游！

啪

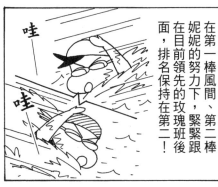

哇哇

哇

在第一棒風間、第二棒妮妮的努力下，緊緊跟在目前領先的玫瑰班後面，排名保持在第二！

83

午飯要吃什麼？

唔…吃什麼好呢？

我要吃披薩。

露出來

你在做什麼？

幼稚園有戲劇表演，他得到了「卡卡山」裡的石頭角色，正在練習。

原來這是用布做的啊。

我是○○町的野原，我要訂披薩吃。我要點一P2仁美奶滋撒柴魚片。鮮鯷魚和蝦仁美奶滋撒柴魚片。

爸爸，在披薩送來前，我們來玩「死亡筆記本」啦，你當筆記本。

喂！不許在我身上寫『自殺』！

沙

不許動！

誰？

舉槍

哇！

自殺

我是美國CTU的安潔拉野田。我接到情報說，恐怖份子藏身於此！

CTU？這麼說，妳是傑克‧鮑爾的同事嗎？

傑克後來怎麼了？

笨蛋，那是「24反恐任務」裡的虛構人物吧！

這兒沒有恐怖份子，但是有個趁丈夫不在家，整天懶洋洋的懶惰份子！

我有在做家事啦！

還是有在做…

急忙解釋

妳看起來很慌張哦。

噗！野原家還是這麼有趣。

小優…

抱歉，用平常方式來這裡很稀鬆平常，所以我喬裝了一下。

討厭，別嚇我啦。

妳也是老樣子，愛捉弄人。

役津栗優，以前與野原家住在同一棟公寓，目前是四毛劇團的演員。

既然要喬裝，下次記得胸部弄大一點。

丶勢啊，我胸部小…

對了，妳演員的工作如何？忙嗎？

聽說四毛劇團要推出「老虎女王」，妳也會去演嗎？

流淚

怎麼了？

我爸的腳臭燻到妳眼睛了嗎？

沒臭到那種程度啦！

抱歉，其實我工作上遇到瓶頸。

順帶一提，她的排便也遇到瓶頸。

便秘第三天。

你們給我閉嘴！

我跟老師起衝突…心情低落…然後突然想見你們…嗚嗚

妳不嫌棄的話，我們願意聽妳說話。

啵啵啵

披薩喵喵

啵啵啵

噠噠噠

吃驚

蠟筆小新
有點難度
小謎題～ PART 14

有空的話，只能做這個有點難度小謎題！
沒空的人也做做看吧～

01

許久沒出現的污田刑警和苦汁屋刑警。你記得這兩個人跟我們是在哪裡認識的呢？

02

那你試著想一想，這兩個人在追的犯人是什麼樣的人呢？

03

你知道松坂老師和德郎先生是怎麼認識的嗎？回答看看～

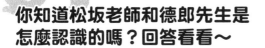

◁ 答案在這一頁的背面哦。

來對答案哦～
要是你全都知道，
就太厲害了！

A1

當我們還住在雞飛狗跳莊的時候，他們兩個來205室監視哦！看看第29集的113頁～

A2

他們是為了抓毒販‧類固醇麻酢尾哦。類固醇麻酢尾的特徵是看了令人反胃的臉！他出現在第32集（93頁）哦。

A3

松坂老師被男友拋棄，藉酒消愁喝太多，於是跌傷腳。她在七零八落接骨院與德郎先生認識，一見鍾情～看看第20集的94頁吧～

蠟筆小新外傳大好評！
奴邦４世新之助
＆鉛筆小新

什麼?

老爺,「醜女華醬」被偷走了!

可疑份子!可疑份子!!大家快來!

奴邦4世新之助系列⑥

秘傳醬汁 奪回計劃

我是把被偷的財物拿回來的拿回屋,奴邦4世新之助。

是得皮家戶長祈求家族興旺,食用淋上秘傳醬汁的納豆的神聖之日。

我們得皮家,從珍保15年至今,每年都舉辦「納豆祭」。

得皮家第21代戶長 得皮多摩筋

得皮家的大宅院──

「醜女華醬」是什麼?

哇,是大福耶。

一週後，我要用這瓶醬汁吃納豆，破壞得皮家的納豆祭！

小的先把這個保管在「冰箱廳」。

多謝誇獎。

做得好，假髮，你很會做菜也很會偷東西。

這就是得皮醬的「醜女華醬」嗎？

吐世富家大廚兼武鬥隊長 假髮

吐世富家戶長 靠爸媽養

好的。

千萬別接近「冰箱廳」哦，那裡只有大廚能進去。我們老爺超愛吃美食，食材都被小心翼翼地保管著。

馬上去打掃各房間。

妳被錄取了。

謝謝你。

老爺，有姑娘來應徵女傭，怎麼辦？

長得可愛嗎？

相當不錯。

那就雇用她。

脫下

冰箱廳

惡劣熊貓宅配便

我幫你載吧！

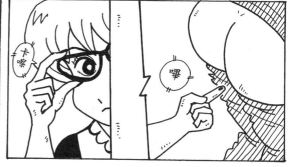

卡嚓

嚀

關閉 冰箱廳

開啟 冰箱廳

※與指紋一樣，每個人的屁眼的形狀各異，稱為肛紋。

哦…原來是※肛紋掃瞄器。

喂，新來的，午茶時間到了，休息一下。

謝謝，你真體貼。

沒、沒有啦。

有沒有人說你長得像玉木宏？

咦？才沒有呢。

肯定很像，像耳朵附近簡直一模一樣。是…是嗎？

玉木先生，你在佣人之中地位很高吧？

我不姓玉木啦，我地位僅次於大廚吧。

那你也有進去過「冰箱廳」嗎？

當然啦。

啊…好棒哦！裡面長什麼樣子呢？

裡面呀…

男生真笨。

衛生所

什麼？衛生所？

是的，這一帶發現會引起食物中毒的新病毒史該菌，衛生所正在調查。

這是簡單的調查。請在大便前，把這個玻璃紙貼在屁眼。

以前在學校有做過呢。

我們負責幫老爺煮飯，特別有調查的必要呢。

我明天會來回收。

得皮納豆祭前一晚──

得皮的手下可能會來拿回「醬汁」，要加強警備！

我派了小甜甜布蘭妮的前任保鏢群，看守「冰箱廳」。

是在「HEY！HEY！HEY！」裡看過的人嗎？

冰箱廳

要不要黑咖啡？

三Q。

咕嚕

石原。

軍團。

為什麼用這種暗號？

哦，他們是小甜甜布蘭妮的…

別管那個。快幹活，大廚就快來巡邏了。

哦哦布蘭妮，唔唔…

先讓我喝這個。每晚想計劃都沒怎麼睡，好睏哦。

啾

立即清醒

溫克爾國務長官

快點！

喝！

打開

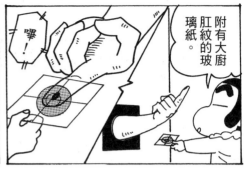

嘩！

附有大廚肛紋的玻璃紙。

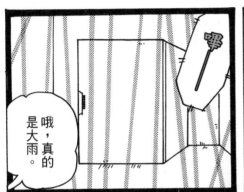

嘩！

哦，真的是大雨。

一進去，首先是如雨般密集的紅外線感應器，一觸碰到感應器門就會關閉，小偷逃不了。關掉感應器的遙控器在大廚手上，誰也無法關。

嘩——

既然有紅外線雨，就需要紅外線傘。

那是什麼？

打開

卡叮！

喂！妳在這兒做什麼……

原來妳是得皮的手下！小偷！

你才是小偷吧！

原來如此，以其人之道還治其人之身。

淅瀝淅瀝，嘩啦啦！雨下來了！

小新與巧克比工廠

如果新之助是小學生…

我們要步行約三十分鐘到工廠。

今天要去零食工廠做社會科參觀。

倖田來未喜歡關東煮的湯哦！

叫計程車啦。

咦？很累耶！

抱怨連連

吵吵鬧鬧

唧唧…

野原同學，別四處徘徊啦！

變型的身材曲線好恐怖哦！

橘皮組織好嚇人哦！

閉嘴！否則給你們看我去年拍的比基尼泳裝照哦！

哇！

呀！

我也是！

我呀，只要拿到零食裡的附贈玩具，其他就丟掉。

是哦。

我對零食工廠才沒興趣呢因為我以後想到外商公司上班。

101

對了，你知道嗎？巧克比盒子上的鱷魚牙齒，有的是金牙哦。

我有聽過那個傳聞。拿到金牙鱷魚的人，會很幸運哦。

我還聽說，拿到蛀牙鱷魚的人會不幸。

野原，你知道嗎？今天要去的工廠是製造巧克比的地方哦。

當然呀，我好期待哦。

希望可以試吃。

嘻嘻，野原你這個好吃鬼萬歲。

他們竟然打情罵俏，氣死我…

意地目，那兒有狗屎呢。

讓野原去踩到。

嘿嘿，好。

可是我不要玩…

踩到

不穩

轉轉

喂！野原，我們來玩擠擠樂吧。

成群過來

哦！小弟弟們，想跟我玩嗎？

東鳩工場

你們很吵耶！

嚇到

哦！兩腳踩個正著。

啊！好髒哦！

啊！踩到大便！踩到大便！

希望廠長長得像強尼戴普。

我是廠長中島，記得叫我中中。

我是副廠長杉田，計時人員阿姨都叫我阿杉。

跟強尼戴普差太多了。

早安

失望

妳說的是「巧克力冒險工廠」是吧？

可惡，狗屎跑到鞋底的細溝了。

讓他們參觀工廠，或許是浪費時間……

參觀完工廠，我想參觀倖用來未！

大口嚼

叭哩叭哩

請帶他們去餅乾棟參觀，然後去零食棟。

餅乾棟？零食棟？

收到。

在參觀之前，請大家先換衣服。

這兒就是餅乾棟。

好普通哦。

失望

這是為了防止頭髮和灰塵跑進商品裡。

好樸素……

那麻煩給我中世紀歐洲騎士的服裝。

我要穿公主服。

我們沒有那種服裝。

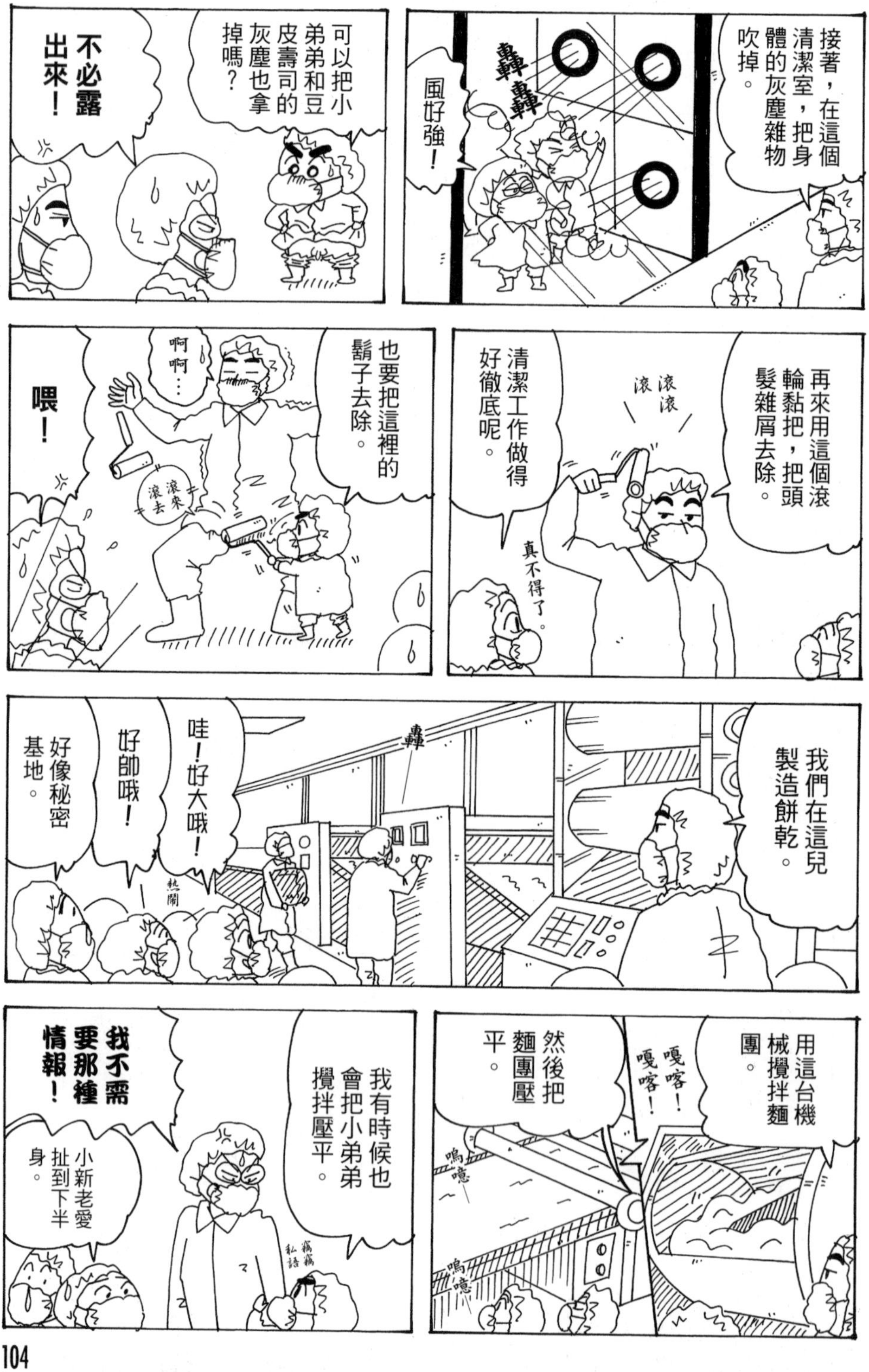
接著，在這個清潔室，把身體的灰塵雜物吹掉。
轟轟
風好強！
可以把小弟弟和豆皮壽司的灰塵也拿掉嗎？
不必露出來！
再來用這個滾輪黏把，把頭髮雜屑去除。
滾滾滾
清潔工作做得好徹底呢。
真不得了。
也要把這裡的鬍子去除。
啊啊…
滾來滾去
喂！
我們在這兒製造餅乾。
轟
哇！好大哦！
好帥哦！
好像秘密基地。
熱鬧
用這台機械攪拌麵團。
嘎喀！嘎喀！
然後把麵團壓平。
嗚噫
嗚噫
我有時候也會把小弟弟攪拌壓平。
竊竊私語
我不需要那種情報！
小新老愛扯到下半身。

商品就沒有信譽了。

零食應該會賣不出去。

會給顧客添麻煩。

我媽媽會生氣打電話投訴。

沒錯！所以，要是有異物跑進產品，就要老實說出來，所有社員一起回收、處分，重新製造。

就算加班很多小時，或是公司賠錢，總比給顧客添麻煩來得好！

你不用多事！

感動貌

大家一起吃剛做好的巧克比吧！

也帶回去給家人！

耶！

就是這個！看到大家吃得很開心的表情，就是我們的喜悅。

氣氛熱絡

啵啵哩哩啵啵哩

好好吃！

超好吃！

真的有金牙鱷魚嗎？

咦？我們沒有做那種東西哦。

那肯定只是傳言而已啦。

謝謝你們！

巧克比

107

回家的路上

除了這傢伙…

我也要去那裡工作！跟負責挑選不良品的美女交往！

太好了，參觀並沒有白費工夫。

我以後要在零食工廠工作！

我雖然懦弱，但我要當個不說謊的人！

我不再把零食丟掉了，我要把它吃完！

原來零食是很多人認真做出來的呢。

我們開始吧！

是的，廠長。

所有社員都下班了嗎？杉田。

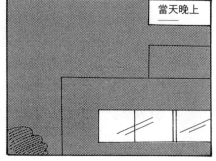

當天晚上

金牙的鱷魚阿山傳說，似乎慢慢傳開了哦。嘿嘿…嘿嘿

像這樣把盒子上的鱷魚阿山畫成金牙，是我們的秘密樂趣呢。嘻嘻…

Tohato

巧克比

蠟筆小新
有點難度
小謎題～ PART 15

從刁鑽的題目到超簡單的題目都有，
有點難度小謎題！來做做看吧～

Q1

你知道漫畫家儀井臼人的興趣
是什麼嗎？

Q2

四毛劇團的女演員役津栗優。
小優第一次主演的戲劇是什麼？

Q3

在「鉛筆小新」中，如果我是
國小一年級生…你知道我班上
的導師的名字嗎？

◁ 答案在這一頁的背面哦。

來對答案哦～
要是你全都知道，
就太厲害了！

A1

他的興趣是觀察自己的大便
哦～超噁心的！看看第15集
（102頁）吧～

A2

正確答案是「THE DOG」。我也
臨時上台演出，但是大受好評！
看第38集41頁，你就明白囉！

A3

她叫做姬宮老師哦！31歲
單身正在徵男友！看看第
33集（111頁）吧～

無敵寶貝
小葵！
極短篇日記

無敵寶貝小葵！
極短篇日記

邪不勝正

成功了，動感超人秘密基地塔！

耶耶！！

慢慢的～

啊！

嘻嘻嘻

哦

受到破壞慾的驅使。

躍躍欲試

咦？什麼？

啊！

怎能讓妳得逞！

擋住

到旁邊去啦。

嘖!

抓住腳

不行!

拖回來 拖回來 拖回來 拖回來

爬過去

小嬰兒竟然騙我。

你不該被嬰兒騙呀。

接住 接住 接住 接住

夾住

哇

丟

丟

嘻呀

幾分鐘後

冒出來

抓住

我們去洗澡囉。

呼耶——噫呼 啊呼啊啊哦。

正在說「正義將會勝利」。

唔喀喀!

沙沙

崩塌

咻!

好熱,開窗子讓空氣流通好了。

嘎啦啦

冒出來

無敵寶貝小葵！
極短篇日記

神算

咦？
股票？

醃一晚再吃可以嗎？

我不是想吃醃蕪菁，是想買股票啦。（兩者日語同音）

現在存銀行也沒多少利息，雖然資金不多，但只要妥善運用，應該可以賺蠻多的。

鄰居也有人買股票，聽說前幾天用賺來的錢去韓國一趟哦。資金的話，我也有一點私房錢。

問題是要選哪一支股票呢？

其實，最近發生過這麼一件事。

!!

嗤

不得了，小葵隨便排的卡片，跟的彩券中獎號碼一樣！

彩券中獎號碼
1獎…○○組
32518
2獎…○○○○

114

妳這麼一提，前幾天我也⋯

小葵，妳喜歡那匹馬嗎？

噠咿！

有力馬紀念馬賽即將開跑。

結果小葵指的那匹完全不受注意的「肚子下垂」，得到優勝哦！

小葵果然是幸運女孩，讓她來決定股票吧！

來，告訴媽媽跟爸爸。

小葵，哪一支股票會賺？

股票情報

雙葉社
竹內公司
焦耳焦耳堂
壽枝企劃
香豌豆社

噠咿！

不愧是小葵！

就是那個！買焦耳焦耳的股票！

說到焦耳焦耳堂，就是最近推出嬰兒化妝品而受到注意的企業！他們在賣嬰兒用美膚化妝水、乳液哦！

老公，怎麼辦？要是大賺一筆的話⋯嘻嘻⋯

先買新車，比如保持捷；國外旅行要搭商務艙、用加了金粉的芝麻海苔吃飯？嘿嘿嘿嘿⋯

流口水

仔細想想，嬰兒皮膚本來就很光滑，不需要化妝品呢。

錢還是要老老實實地存才行。

呼啊

焦耳焦耳堂股價大跌！新商品不受歡迎的影響⋯

Poor

無敵寶貝小葵！
極短篇日記

爸爸的禮物

為了表達平時對爸爸的感謝，要不要一起送禮物給他？

妳做了什麼對不起他的事情嗎？

比如瞞著爸爸買名牌…

不是啦，我是單純地感謝啦。

媽媽想送領帶。

我要用黏土做東西送他。

小葵就送爸爸愛吃的和果子。妳親手交給他，他會很高興的哦。

因為爸爸喜歡年輕的女生。

不許講那種話！

小葵來練習把禮物拿給爸爸。

用這個空盒子…

噠？

用可愛的表情說「來，請收下」然後送給他。

呀嘿。

嗯。

唔——

不可以做那種凶狠的表情。

嘿嘿！

我是Pretty美冴。

要用力地做出可愛的表情…

嗯…

太好了，她好像清醒過來了。

後來，美冴設法讓小葵做練習。

到了送禮那一天——

咦？送我的？

這是表示平常對你的感謝。

哇——謝謝。

這是我用黏土做的豆腐，表示對你平常的感謝。

謝謝你，這是木綿豆腐嗎？

哦。

是嫩豆腐。

小葵要送你甜饅頭哦。

哦！我好高興哦。

欸？裡面沒東西哦。

討厭，妳偷吃！

嗯嘎咕咕…

117

無敵寶貝小英！
極短篇日記

老鼠生的兒子
會打洞

焦耳百貨托嬰室——

源基，媽媽去「韓國吃透透旅行團」。今晚起只有咱們父子倆，爸爸去買個菜就回來哦。

呋

我幫您看小孩。

西東望張

唰嘿嘿！

爬爬爬

乖孩子的畫冊
黑色記事本

爬

嗹嗹嗹

嗹咿吶！

欻欻

◎初出

『月刊まんがタウン』2006年5月号～2006年11月号
『jourすてきな主婦たち』2006年3月号～2006年6月号

FC02345 C8P112

蠟筆小新 ⑤

原名：クレヨンしんちゃん⑤

■作　　者　臼井儀人
■譯　　者　蔡夢芳
■執行編輯　游文玉
■發 行 人　范萬楠
■發 行 所　東立出版社有限公司
■東立網址　http://www.tongli.com.tw
　　　　　　台北市承德路二段81號10樓
　　　　　　☎ (02)25587277　　FAX(02)25587296
■劃撥帳號　1085042-7（東立出版社有限公司）
■劃撥專線　(02)28100720
■印　　刷　嘉良印刷實業股份有限公司
■裝　　訂　台興印刷裝訂股份有限公司
■2006年12月25日第1刷發行

日本雙葉社正式授權台灣中文版